BØRNERIM

Halfdan Rasmussen

BØRNERIM

TEGNINGER
IB SPANG OLSEN

SCHØNBERG

© Det Schønbergske Forlag A/S 1964

Bogen er sat med Linotype Janson og trykt hos
Clemenstrykkeriet, Århus

Toogtyvende oplag

Printed in Denmark 2004

ISBN 87-570-0101-4

INDHOLDSFORTEGNELSE

(Alfabetisk register findes på side 163)

EN MAND FRA RIBE

En mand fra Ribe
fandt en pibe.
En mand fra Skive
fandt en rive.
En dame fra Korsør
fandt en gammel trillebør
og en kone fra Hobro
fandt en hale af en ko.

I RUNDETÅRN, DER BOR EN UGLE

I Rundetårn, der bor en ugle,
den har et hoved som en kugle.

Når andre hviler deres hjerner
så sidder den og kigger stjerner.

Når regnen slukker stjernevrimlen
så tuder uglen op mod himlen

og flyver over til Regensen
og spiller kort med portner Jensen.

TRIP – TRAP – TRAPPESTEN

Trip – trap – trappesten
Dip – dap – dyne.
Hesten den har fire ben.
Grisen har en tryne.

Klip – klap – klodsmajor.
Nip – nap – nynne.
Søren har en lillebror,
der sover i en tønde.

Sjip – sjap – solskinsvejr.
Lip – lap – læbe.
Manden spiser flæskesvær
og konen spiser sæbe.

NEGERDUKKEN LILLE SAM

Negerdukken lille Sam
kan ikke gøre for det.
Han kan bare ses ved dag.
Om natten blir han borte!

Mors fine dug er hvid.
Jeg syr en skjorte af den.
Så kan Sam få skjorten på
så han kan ses om natten!

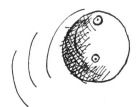

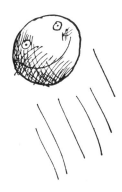

EN GUMMIBOLD
SPRANG RASK AFSTED

En gummibold sprang rask afsted.
En lille frø blev stum derved
og tænkte: Hvilken sælsom en.
Den hopper men har ingen ben.

I RANDERS BOR EN BAGERKONE

I Randers bor en bagerkone,
som bager boller til en krone.
Når hun har solgt den første bolle
så køber hun en kasserolle.
Når hun har solgt tre-fire stykker
så gifter hun sig med en dykker.
Når hun har solgt en million
så køber hun en stor kanon.

EN SPORVOGNSMAND PÅ LINJE EET

En sporvognsmand på linje eet
faldt af og slog sig meget lidt
og vognen kørte vildt afsted
mens mænd og koner sad og græd.

Med eet så var der ingen spor,
man kørte på den bare jord
og endte i et flot teater
hvor der var brandmænd og soldater.

LILLE RIKKE SAD OG SANG

Lille Rikke sad og sang
og hørte uret tikke.
Ak, men lige på engang
kom lille dumme Hikke.

Lille Rikke hikkede
så Rikke måtte drikke
tyve spande postevand
og drukne lille Hikke.

Hikke svømmed ovenpå
men Rikke spiste sukker
og kravlede med Hikke hen
til alle sine dukker.

Hikke sprang fra Rikkes mund
og glad var lille Rikke.
Men alle Rikkes dukkebørn
de lider nu af Hikke.

16

LILLEBRORS POTTE

Lillebrors potte
stod ude på plænen.
Æblet hang rødt
som en lampe på grenen.

BOM, sagde æblet,
det røde, det flotte,
da det faldt ned
i min lillebrors potte.

BOM, sagde lillebror,
æblet slår tromme!
Blæsten kom susende:
BOM! BOMMELOMME!!

BOMMELOMME BUM

I ET STORT BORNHOLMERUR

I et stort bornholmerur
gik den lille viser tur.
Men den store som var skrap
ville gerne gå omkap.

Lille viser blev så vred.
Den ku' ikke følge med.
Derfor gik den helt i stå.
Nu kan uret ikke gå.

18

PUTTE - PUTTEHØNE

Putte – puttehøne
kom og læg et æg
et med hår og et med skæg
og et med store ører.

Putte – puttehøne
kom og rug det ud
et med mund og et med tud
og et med klare øjne.

LILLE NAVLEØJE

Lille navleøje
sover bag min trøje.
Når jeg løfter kjolen
blinker det mod solen.

TULLERULLE TAPPENSTREG

Tullerulle Tappenstreg
spiste gummibolde.
Tullerulle Tappenstreg
blev gift med Karl den Tolvte.

Tullerulle Tappenstreg
spiste kaffebønner.
Tullerulle Tappenstreg
fik fire brune sønner.

Tullerulle Tappenstreg
gav dem gummibolde.
Tullerulle Tappenstreg
fik klø af Karl den Tolvte.

LILLE MALER STEDSEGRØN

Lille maler Stedsegrøn
fra Nokkebølle by
dratted ned fra kirkens tårn
og havned på en sky.

Lille maler Stedsegrøn
syns himlen var så grå,
tog sin flotte pensel frem
og maled himlen blå.

Lille maler Stedsegrøn
blev solens bedste ven,
så da solen den gik ned
gik Stedsegrøn med den.

PÅ BAKKEN STÅR EN MØLLE

På bakken står en mølle.
Den kan man ikke se.
Den brændte ned i morges.
Det er hvad der kan ske.

I møllen bor en møller
som ikke bor der mer.
Han løb da møllen brændte.
Nu er han kanonér.

Han ejer fem kanoner
og går i regnfuldt vejr
og skyder hul i jorden
og planter bøgetrær!

23

STAKKELS BLÅ MANDAG

Stakkels blå mandag
med fjer i sin hat
mødtes med tirsdag
en sensommernat.

Onsdag kom haltende
efter de to
med triste grå torsdag
i udtrådte sko.

Fredag og lørdag
kom efter i bil
med madkurv og flasker
og strålende smil.

Men søndag tog ud
i den dejlige skov
og glemte
en mandag
en tirsdag
en onsdag
en torsdag
en fredag
en lørdag –
og sov!

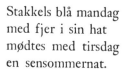

24

POSEMANDENS BIL

Petersen og Poulsen
og Pallesen og Piil
tog ud en dejlig sommernat
i Posemandens bil.

Bilen havde ingen hjul
og heller intet rat,
men det var osse lige fedt,
for det var nemlig nat!

Skoven var en sølle skov,
for der var ingen trær,
men det var lige fedt med det,
for det var dejligt vejr.

Og Petersen og Poulsen
og Pallesen og Piil
har aldrig haft en bedre tur
i Posemandens bil!

SNEMAND FROST OG FRØKEN TØ

Snemand Frost og frøken Tø
gik en tur ved Søndersø,
fandt en bænk og slog sig ned,
talte lidt om kærlighed.

Snemand Frost, som var lidt bleg,
spurgte: Må jeg kysse dig?
Men da frøken Tø var varm
smeltede hans højre arm!

Da han kyssed hendes kind,
svandt han ganske langsomt ind.
Da han kyssed hendes mund
blev han væk i samme stund!

På en bænk ved Søndersø
sidder stakkels frøken Tø.
Snemand Frost er smeltet op.
Hun må ha ham i en kop!

DE FIRE VINDE

De fire vinde
i nattens skove
lod alle blomster
og træer sove.

De tre var trætte
og sov som stene.
Den fjerde vågede
helt alene.

Han skar en fløjte
til sin veninde.
I fløjten blæser
de fire vinde.

JEG KAN HØRE NATTEN LISTE

Jeg kan høre natten liste over gruset.
Jeg kan se de klare stjærner mørket tænder.
Og nu vandrer der en stilhed over huset
med en perlekrans af dugg i sine hænder.

Der er stjærner af krystal med hvide vinger.
Der er en der blinker bag min storetå.
Jeg kan nå den største af dem med en finger.
Jeg vil ta en lille en og sutte på!

DU MÅ KLAPPE MIN HUND

Du må klappe
min hund for en jante
og min hest
for et rødt lille æg.
Vil du klappe
et klap på min tante
må du gi mig
din bedstefars skæg.

Du må klappe
min guldfisk på kinden
for et æble
som ikke er stødt.
Vil du klappe
min løve forinden,
må du love
at klappe den blødt!

THEODOR FRA SVÆRTEGADE

Theodor fra Sværtegade
har en mægtig farvelade.
Og den lille, frække fyr
maler men'sker om til dyr!

Han har malet sine tanter
så de ligner elefanter.
Og hans far, der er så smuk,
har han gjort til gedebuk!

Lærerinden frøken Lange
har han gjort til brilleslange.
Og den store slagter Beck
blev en tudse der sprang væk!

Men at bedstemor blev bi,
det ku bedste ikke li'.
Tænk, det kære gamle væsen
stak ham lige midt på næsen!

SØVNEN LIGGER GANSKE STILLE

Søvnen ligger ganske stille,
gør sig mørk og bittelille,
hvisker med sin trætte stemme:
Iben, er der nogen hjemme?

Å, det er så rart at vide:
Søvnen ligger ved min side.
Og jeg svarer, før jeg sover:
Kom kun ind, din lille sjover!

TYGGEGUMMIKONGEN BOBBEL

Tyggegummikongen Bobbel
sidder i en gummipoppel,
synger tyggegummisange
for en tyggegummislange.

I hans slot af tyggegummi
med de mange flotte rum i,
sidder tyggegummikonen
midt på tyggegummitronen.

Alle folk fra kvist til kælder
spiser gummifrikadeller,
drikker tyggegummivander
af de store gummikander.

De har tyggegummitunger.
De får tyggegummiunger,
går med tyggegummihatte
og har tyggegummikatte.

De har tyggegummistuer
fyldt med tyggegummifluer.
De har tyggegumminæser,
der kan vippe når det blæser!

INDE BAG MIN PANDE

Inde bag min pande
bor den lille Dunse.
Han kan spise bøfkød,
store, røde lunse.

Han kan gå på hænder.
Han kan slå på tæven.
Han kan trykke store
voksne mænd på næven.

Han kan køre brandbil.
Han kan ryge pibe.
Han kan gå på vandet
fra Korsør til Nibe.

Han kan spytte langspyt.
Han kan osse bande. –
Men han gør det bare
inde bag min pande!

STORE MØRKE NAT

Store mørke nat.
Giv min mor en hat.
Giv min far en skrå
han kan tygge på.

Giv min bror en prop
til at trække op.
Giv min gravhund tæv.
Den har bidt en ræv!

Giv mig selv en sko,
eller – giv mig to.
Allerhelst af lak!
– Mange, mange tak!

DER GIK EN MAND I SOMMERTØJ

Der gik en mand i sommertøj
på isen ved Trekroner.
Han var kun fjorten tommer høj
men havde fire koner.

Den første kone var af ler.
Den anden af emalje.
Den tredje var af krydsfinér
og gik med guldmedalje.

Den fjerde var af fint krystal
og klar og gennemsigtig.
Hun sprang i stykker med et knald
fordi hun var så vigtig!

KONEN TOG SIN LILLE MAND

Konen tog sin lille mand
og lagde ham i vuggen,
gav ham et glas kildevand
fordi han var fordrukken,
skifted ble og hagesmæk
og gav ham klø for resten,
og gik så ganske roligt væk
og spilled kort med præsten!

UDE I SKOVEN SAD NISSER OG KÆMPER

Ude i skoven
sad nisser og kæmper
og råbte i kor:
Det er jul i december!

Og da man kom
til den fireogtyvende
så de mod himlen
hvor sneen kom flyvende.

Så gik de ind
i en nissebarak
og spiste så meget
at maverne sprak.

Og da de åbnede
pakken med gaverne
lå der en æske
med plaster til maverne!

I DET FINE HVIDE SAND

I det fine hvide sand
sidder lille Hansemand.
Han har ingen bukser på
men er bar fra top til tå.

På hans tommelfingernegl
sidder der en lille snegl.
På hans hårtop, der er gul,
sidder der en sommerfugl.

Hvis han hoster eller ler,
sidder de der ikke mer.
Derfor sidder Hansemand
stille i det hvide sand.

BLÆSTEN PUSTER MED SIN MUND

Blæsten puster med sin mund.
Stjærnerne er nøgne.
Der er støv på nattens bund,
støv i mine øjne.
Søvnen kalder på de små.
Dagens leg må slutte.
Jeg vil ha godnat-tøj på.
Jeg vil ind og putte!

LILLE FRØKEN HONNINGHJÆRTE

Lille frøken Honninghjærte
græd da lyset slukkede.
Hun var ikke blevet solgt
før bageren han lukkede.

Søde frøken Honninghjærte
som en bager æltede
græd den hele julenat
til sukkerpynten smeltede.

Stakkels frøken Honninghjærte
græd så hjærteknusende
at hun ikke ænsede
da hun blev spist af musene.

OPPE PÅ EN KØKKENSTIGE

Oppe på en køkkenstige
sad den sure køkkenpige
og i spisekamret stod
Jakob med gevær ved fod.

På en hylde lå fru Larsen
med et ben i flæskefarsen
og sit lange hår i blød
i halvanden liter sød.

Hendes mand som var araber
børsted tænder med rabarber
og da tænderne var væk
tog han brusebad i blæk!

41

DER FALDT ET LILLE SNEFNUG

Der faldt et lille snefnug
på degnens sorte hat.
Der faldt et lille snefnug
på halen af en kat.

De to små snefnug råbte:
Giv tid! Giv tid! Giv tid!
Men der faldt tusind snefnug.
Og så var verden hvid.

Og så var degnen borte
med samt hans sorte hat.
Tilbage stod en snemand
og kaldte på sin kat!

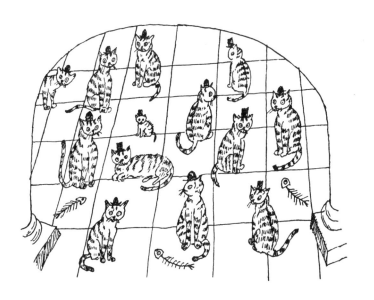

I KASSEMATTEN SAD EN MASSE KATTE

I kassematten sad
en masse katte
med glatte kattehatte
og med matte,
men da de glatte hatte
var for små
fik alle glatte katte matte på!

LILLE NISSE SILKESKÆG

Lille nisse Silkeskæg
og hans store tante
sejled til Amerika
i en grøn servante.

På et gammelt apotek
købte de en pille.
Men da tanten spiste den
blev hun ganske lille.

Lille nisse Silkeskæg
spiste nøddekærner,
blev så mægtig at han fik
skægget fuldt af stjærner.

Kæmpenissen Silkeskæg
tog sin lille tante
sejled hende hjem igen
i en grøn servante.

KONGEN SAD VED TEEN

Kongen sad ved téen,
gal som lyn og torden.
Ude i entréen
kørte linje fjorten.

Fire konduktører,
klædt i damefrakker,
drev en masse køer
gennem hans gemakker.

Og på kongens høje
kongelige trone
sad en papegøje
med en kongekrone!

SIKKEN ET HUS!

Sikken et hus!
Mus i mit krus!
Rotter i potter
og katte med kutter
og fem hottentotter
der sidder og prutter!

HØR NU TUDER BLÆSTEN

Hør, nu tuder blæsten!
Stjærner myldrer frem.
– Det er synd! Kan blæsten
ikke finde hjem?
Vandrer den derude
på den kolde jord?
Kan den ikke finde
hvor det er den bor?

Hør, nu piber blæsten
udenfor igen!
– Så må vi nok helre
ud og smøre den!
Jeg kan ikke se den.
Tror du den har fjer?
Moer, er det blæsten
eller dig der ler?

Hør, nu synger blæsten
alle børn godnat,
synger for din dukke
og den lille kat!
– Skal den hjem og sove
hos sin far og mor? . . .
Så har den nok fundet
hvor det er den bor!

SOLEN GÅR I SILKEKJOLE

Solen går i silkekjole
og er meget, meget fin.
Når hun danser over himlen
spiller blæsten violin.

Månen går til aftenselskab
og har blanke laksko på,
kommer fuld hjem midt om natten
med sin høje hat på skrå.

NISSEN TOG SIN HUE PÅ

Nissen tog sin hue på,
stak sin hånd i luffen,
fandt en halsklud, der var blå,
i kommodeskuffen,
fyldte lommerne med mus,
hørte vinden blæse,
satte så et kræmmerhus
på sin røde næse!

TRIP!-TRAP!

Trip-trap! Trip-trap!
To små damer gik om kap.
To små mænd med store bylter
fulgte efter dem på stylter.

Trap-trip! Trap-trip!
To små fugle sagde pip!
To små løver uden tænder
åd de to små styltemænner.

Trip-trap! Trip-trap!
To små damer løb om kap.
To små løver som var frække
sprang afsted og åd dem begge.

Trap-trip! Trap-trip!
Resten er det rene pip:
To små løver blev til hjorte,
åd hinanden og var borte!

EN LILLE HEST PÅ LODNE BEN

En lille hest på lodne ben
gik tur på gadens hårde sten.
Den var så træt i sine hove
og ville gerne hjem og sove.

I en butik på Nørrebro
gik hesten ind og så på sko.
Men da den ikke havde penge
så fik den lov at vente længe.

I tyve år sad hesten der.
Men pludselig kom en barber
og gav den et par kludesutter. –
Så løb den hjem på to minutter!

LILLE NEGERDUKKE

Lille negerdukke
sover i min seng
sammen med en dejlig
gul kineserdreng.

Jeg har sunget mine
kære børn til ro,
klappet dem på kinden,
kysset begge to.

Vi er een familje.
Børn af samme jord.
Sov, min sorte søster!
Sov, min gule bror!

LILLE SKY

Lille sky gik morgentur
på den blanke himmel,
satte skygge på en mur,
så på jordens vrimmel.

Kiggede i søens vand,
så sin egen mave,
så en and der gik i land
midt i Kongens have.

Kunne ikke holde sig,
havde ingen potte,
lod det dryppe på en vej,
skønt den ikke måtte.

Løb med blæsten hjem igen,
så et bjærg med sne på,
fik en lille smule skænd
og en anden ble på!

NÅR SOLEN STIGER

Når solen stiger rød og rund
op over Sjællands kyster,
da jubler hele Øresund:
Godmorgen, kære søster!

Og stråler solen varm og stor
på alle fynske gavle,
da går hver fynbo rundt og tror
at Fyn er verdens navle.

Men daler solen ned i vest
i havets sorte gryde,
da råber Jyllands stride blæst:
Godnat, din gamle jyde!

LENE HAR EN HAT AF STRÅ

Lene har en hat af strå
med en lille rose på.
Rosen den er rosenrød.
Du kan tro den hat er sød!

Før hun ønsker mor godnat
vander hun sin rosenhat,
for hun ville blive flov
hvis den visned mens hun sov.

ORMENE HAR INGEN ØJNE

Ormene har ingen øjne,
ingen ben og intet hår.
Ormene er ganske nøgne
og må kravle når de går.
Ormene kan ikke tale.
Ormene har ingen tænder.
Ormene er kun en hale
der er ens i begge ender!

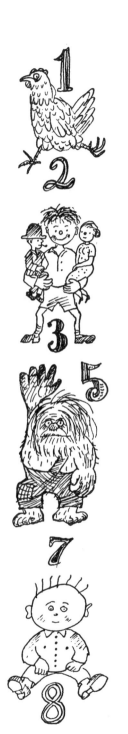

TÆLLE TIL EEN

Tælle til een
og tælle til to.
Hønen går ikke
med strømper og sko.

Tælle til tre
og fire er nemt.
Æg blir til røræg
når hønen blir klemt.

Tælle til fem
og tælle til seks.
Er du en trold
får du børn med en heks.

Tælle til syv
og otte og ni.
Knaphuller vokser
der ingenting i.

Tælle til ti.
Den sidste skal stå.
Alle de andre
tar nathue på!

SOFUS FRA SØRØVERSKIBET

Sofus fra sørøverskibet »Piraten«
læste en dag i Social-Demokraten,
at der var udsat dusør på en krone
hvis man ku fange ham selv og hans kone.

Sørøver Sofus, som ikke var bange,
skyndte sig hjem og tog konen til fange,
men da de kom med sig selv i en kasse
sagde betjenten det ikke ku passe.

Sørøver Sofus blev gal, det er klart,
skyndte sig hjem med sig selv i en fart.
Og da han kom med sig selv i en sæk,
fik han en krone og skyndte sig væk!

INDE I MIN MOSTERS MAVE

Inde i min mosters mave
er en lille børnehave.
Hun skal nemlig være mor
til en tvilling og hans bror.

Når jeg lytter med mit øre
tæt mod maven, kan jeg høre
to små glade unger kravle
inde bag min mosters navle.

Alle mødre har en mave
som engang var børnehave.
Hvis man ikke går i kloster
får man børn som lille moster!

BØLGER KYSSER SØRENS BEN

Bølger kysser Sørens ben
og vasker Sørens numse ren
og trommer på hans maveskind
som om de gerne ville ind.

Når de kommer vuggende
og sukkende og klukkende,
står Søren i det våde vand
og klapper dem så godt han kan.

Og når Søren lægger sig
i strandens sand og strækker sig,
så kommer de på tværs og skrås
og klapper Søren i hans mås.

NÅR DEN RØDE SOL GÅR NED

Når den røde sol går ned
fjærnt bag havets blånen,
kan man se en lille ged
sidde midt i månen.
Det er månemandens ged,
som får lov at kigge ned
til det grønne græs der gror
på den store runde jord.

Mens du sover i din seng,
sidder den og snøfter,
for den elsker mark og eng,
græs og grønne grøfter.
Hvis du derfor ikke ser
geden midt i månen mer,
går den nok og græsser blandt
blomster på en grøftekant!

PETER OG PELLE OG POVL

Peter og Pelle og Povl
har gravet et hul med en skovl
og hullet er større i meter
end Povl og Pelle og Peter.

Pludselig kommer en ged
og stanger dem alle derned.
Ja, det er hvad jeg kan fortælle
om Peter og Povl og Pelle!

MIN FAR HAR MANGE RYNKER

Min far har mange rynker
at rynke panden med.
Jeg har desværre ingen
skønt jeg så tit blir vred.
Og derfor må jeg altid,
når jeg er sur og gnaven,
stå op i lænestolen
og rynke lidt med maven!

NU SOVER MIN MOR

Nu sover min mor og min far
og min søster
så ruderne klirrer
og væggene ryster.

Jeg ligger og lytter
til tagsten der falder
og møbler der vælter
og ruder der knalder.

Men blir det for slemt
med den snorken og hvæsen
så gir jeg dem søreme
klemmer på næsen!

I BANKEN LIGGER TYVE MILLIONER

I banken ligger tyve millioner.
I Peters lomme ligger ikke een.
Der ligger kun en fløjte uden toner,
en bukseknap og fire blanke sten.

Der ligger osse låget til en dåse,
et stykke kridt, en trisse og en prop,
en nøgle der kan bruges til at låse,
når man skal låse i og låse op.

Jeg kan da sagtens tjene et par kroner
på bukseknappen og de blanke sten.
Men hvad skal jeg med tyve millioner,
når bukselommen knap har plads til een?

HALLO! HALLO!

Hallo! Hallo!
min gamle sko.
Nu skal vi ud at gå.
Kom frem min ven
før du får skænd.
Nu skal jeg ha dig på!

På venstre ben
der har jeg en,
og det er nok din bror.
Kom nu din nar
og vær lidt rar.
Jeg gør dig ikke spor.

Der skal da to
til et par sko.
Kom nu hvis du vil med.
Farvel med dig.
Nu løber jeg ...
... nu hinker jeg afsted!

OPFINDER OLSEN FRA OPFINDERLAND

Opfinder Olsen
fra Opfinderland
opfinder mer
end en opfinder kan.
Nu har han opfundet
gafler med vanter
og lyseblå snabelsko
til elefanter.
Og snart vil han opfinde
frakker til trær,
så de kan stå ude
i alle slags vejr!

KASPAR HIMMELSPJÆT

Højt på himlen står en sky.
Dybt, dybt nede er en by.
Mellem sky og by man kan
se en lille venlig mand.

Det er Kaspar Himmelspjæt,
som går rundt med blå kasket
og fortæller stork og stær
at den kolde tid er nær.

Og hver fugl som drager bort
over landet, som er vort,
får et kort hvorpå der står:
Kom igen til næste år!

Hvis du under himlens skyr
ser en lille venlig fyr
er det Kaspar Himmelspjæt
med den fine blå kasket!

68

GULEFAR OG GRØNNEMOR

Gulefar og Grønnemor
og lille Peter Blå
fiskede i Isefjord,
men ingen fisk bed på.

Da det havde stået på
i femogtyve år
sagde lille Peter Blå:
Akja, hvor tiden går!

Derpå lagde de sig ned
og sov en måneds tid.
Da de vågnede igen
så havde Peter bid.

Gulefar og Grønnemor
de gav ham megen ros.
Tænk, den lille Peter
havde fanget en ansjos!

GODNAT DU KLARE STJÆRNE

Godnat du klare stjærne.
Godnat du mørke jord.
Godnat du lille flue
som kravler på mit bord.

Godnat små regnvejrsbuske.
Godnat små blomsterduske.
Nu må I alle huske
at hilse jeres mor!

Godnat du lille skovsti.
Godnat du store vej.
Godnat små søde spidsmus
som puster hver for sig.

Godnat i Tappernøje.
Godnat i seng og køje.
Godnat mit blanke øje.
Godnat mig selv fra mig!

EN KÆLLING OG EN KYLLING

En kælling og en kylling
og en killing der var tvilling
tog til Kolding med en rolling
for at købe for en skilling,
købte klamme fedteklemmer,
købte krummer af en kræmmer,
købte klæge klattekager
hos en klattekagebager.

TO SORTE TRÆSKO

To sorte træsko
med beslag
gik tur en herlig
sommerdag.

De gik og drømte
begge to
mens lærken sang
og solen lo.

Så mødte de
to lyseblå
små dansesko
med sløjfer på.

To træsko blev
lidt vovede.
Og nu er de
forlovede.

Nu bor i
Skomarstræde 2
to træsko
og to dansesko!

I ET MEGET LILLE LAND

I et meget lille land
i et meget lille hus
bor en meget lille mand
og en meget lille mus
og den meget lille fyr
med det meget lille dyr
har en meget fin tenor
der er meget, meget stor!

ALLE ANEMONEMÆND

Alle anemonemænd
med stilk og blomsterkrone
har en lille sød og venlig
anemonekone.

Når de drikker morgendugg
med deres grønne tunger,
får de mange tusind frække
anemoneunger.

De har ingen bukser på.
Og når de går og fjumser,
kan man se de våde, bare
anemonenumser!

NÅDADA FOR TILDE!

Nådada for Tilde!
som fyldte ti den tolvte.
Hun har væltet Rundetårn
og trillet det til Holte!
Nu er Holte tromlet flad,
men søde lille Tilde
hun er bare ligeglad
for hun er fra Tisvilde!

NU VÅGNER
ALLE BLOMSTERFRØ

Nu vågner alle blomsterfrø
af deres vinterdvale.
Det synger grønt fra hver en ø,
og fisken i den blanke sø
slår smut med krop og hale.

Nu spiller solen vår-galop
med gul trompet for munden.
Og lærkens lille snurretop
går op og ned og ned og op
og hilser morgenstunden.

Nu leger ingen snefnug mer
på veje og rabatter.
Jeg står i haven og jeg ser
mod forårshimlen hvor det sner
med hvide fugleklatter!

SOLSIKKE

Solsikke! Solsikke!
Kig den anden vej!
Hvorfor skal du altid stå
og kigge efter mig?
Luk dit brune øje i,
dit lange dumme fæ,
mens jeg tar en pære fra
vor nabos pæretræ!

Solsikke! Solsikke!
Se den frække stær!
Den har stjålet hyldebær
fra vores hyldetrær!
Sig at den skal skrubbe af,
men sig det pænt og sødt,
mens jeg tar en pære til,
for denne her var stødt!

TRE KLOKKERE

Rung fra Ringsted
og Ring fra Rungsted
ringer og runger
så piger får unger
når klokkerne slår,
men Ringling fra Ringe
ringer så ringe
at folk gir ham penge
for ikke at ringe
i Ringe
i år!

NU SOVER HØNEN

Nu sover hønen på sin pind
og svalen i sin rede.
Nu sover barnet stille ind
på pudens hvide sky.
Nu tier alle fuglenæb,
og stjærner står så spæde
som nålesting af silkegarn
på himlens paraply.

INDE I HR. MADSENS SKÆG

Inde i hr. Madsens skæg
er en rede fuld af æg,
og i reden bor en svale,
der har næb og svalehale.

Tænk, i morges kom en stær
for at bygge rede dér.
Men da svalen optog pladsen
var der ikke plads hos Madsen.

Derfor gik hr. Madsen hjem,
fandt en stærekasse frem
og slog kassen fast i panden
så det gungred i forstanden.

Før hed Madsen Svalefar,
skønt han ingen hale har.
Nu sier alle folk på pladsen:
Sære Stærekassemadsen!

80

ONKEL KARFUNKEL

Onkel Karfunkel
er landmand til vands
med femtusind grise
som ikke er hans,
den ene er flot
og den anden er fin,
men resten af grisene
er nogle svin!

VINDENE

Måger skriger ved Sønderho:
Vestenvinden har sand i sko.
Skoene knirker og knager
som sandet i fattigmands ager.

Krager skræpper fra nøgne trær:
Østenvinden har kolde tæer.
Solen, hvis fætter er klokker,
må strikke den vanter og sokker.

Spurve pipper bag tegl og strå:
Nordenvinden har bukser på.
Lasede bukser med lapper
og kølige perlemorsknapper.

Pigen nynner i måneskin:
Kom du dejlige søndenvind.
Kys mine småbitte bryster
og bliv her så længe du lyster!

SNEFNUG

Kom, lille hvide snefnug,
og sæt dig på min pande.
Fortæl om alle stjærnerne
og alle jordens lande.

Kom, lille hvide snefnug,
og hils på mine hænder.
Fortæl mig hvor du kommer fra
og hvor din rejse ender.

Kom, alle hvide snefnug,
og læg jer her på bakken,
så jeg kan gi min storebror
en snebold midt i nakken!

EN LILLE SANG

Jeg fandt en sang på vejen,
en lille hjemløs een
med store runde øjne
og to små trætte ben.
Den sad og var bedrøvet
og græd sig helt itu,
for ingen havde prøvet
at synge den endnu.

Jeg talte venligt til den
og sang den lys og glad
og gav den klokkeblomster,
viol og kløverblad.
Så sprang den op fra vejen
ind i min øregang.
Nu er den helt min egen
og ingen andens sang!

VED VERDENS ENDE

Ved verdens ende står et slot.
På slottet bor prins Tommeltot.
Hans svigermor er høj og flot
og bred som et kateder.
Hun sidder på en fin altan
af butterdej og marcipan
og drikker portvin hele daen
med Josef og Sankt Peter!

Når solen synker ned i vest,
så går hun hen til byens præst
og sidder der og laver fest
og bander så det sprutter,
mens stakkels lille Tommeltot
må sutte på sin slikkepot
og sidde på det dumme slot
hvor verdens ende slutter.

85

HAR DU HØRT OM KALLEMAND

Har du hørt om Kallemand
om Kallemand i Køge?
Han har øl og knaldevand,
så ham må vi besøge!
Han har træben med gevind
og flasker fyldt med måneskin,
så det er sjovt at kigge ind
hos Kallemand i Køge!

Vil du med til Kallemand
til Kallemand i Køge?
Der går bus fra Langeland
og skib fra Fruens Bøge.
Bussen er en skraldespand,
chaufføren er en sprællemand,
og skibet sejler over land
til Kallemand i Køge!

DER STÅR ET TOG

Der står et tog på Hobro station,
og toget har stået der længe.
Det står og venter på en person
med laksko og masser af penge.

Det futter bort til et fremmed land
på hjul der er store og stærke.
I toget sidder jeg ene mand
og synger så højt som en lærke.

Jeg har en hat og en rød ballon,
en bold og en kuffert af læder.
Og udenfor på den grå perron
står hele familjen og græder.

Jeg vender toget og kører hen
og gir dem et bolche at dele.
Og da jeg futter afsted igen,
så griner de over det hele.

TRE FIRLINGER

Tre firlinger fra Femvejen
tog til Tikøb på hjemvejen,
traf to tyve med en tokrone
på Trekroner hos en krokone,
kom til Elverhøj ved tolvtiden
og gik lige ind i oldtiden!

URET SNAKKER UDEN STOP

Uret snakker uden stop
og la'r munden danse.
Når det først er trukket op,
vil det ikke standse.

Det kan snakke dagen bort,
snakke hele natten.
Når jeg sover tungt og hårdt,
snakker det med katten.

Tik-og-tak! og tak-og-tik!
lyder det på tælling.
Snik-og-snak! og snak-og-snik!
gamle sladrekælling!

ÆSLET ZEBEDÆUS

Æslet Zebedæus
fra den gamle by Piræus
har om halsen i en snor
dette skilt med disse ord:
For en gulerod med top
får du lov at sidde op!
For en blomme uden sten
flytter jeg det ene ben!
For en grøn kartoffelspire
flytter jeg dem alle fire!
Hvis du sparker eller slår
blir jeg stående hvor jeg står!

INDE I MIN DUKKESTUE

Inde i min dukkestue
sidder husets smukke frue
med en herre i sin hånd
og et silkestrømpebånd.

Fruen drikker te og spiser
fire klejner mens hun fniser.
Herren siger uden grund:
Må jeg kysse Deres mund?

Fruen rykker ham i ærmet
og er gudskelov fornærmet.
Herren løsner med sin hånd
hendes silkestrømpebånd.

Kys ham ikke, smukke frue!
sier jeg, nærmest for at true.
Men i samme øjeblik
lyder der et lille klik!

Nu er huset mørkt, og fruen
kysser herren midt i stuen
i mit lille dukkehjem.
Nej, hvor *er* det frækt af dem!

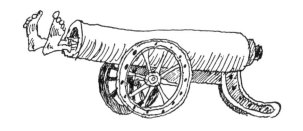

HR. OLSEN

Hr. Olsen må bo
i en gammel kanon,
fordi han er døv
som en kokosmakron.

Når Olsen skal op,
hvad de fleste jo skal,
la'r konen kanonen
gå af med et knald.

Så brummer hr. Olsen
og strækker sig lidt:
Jeg syns jeg ku mærke
at klokken slog eet!

PETER LOHENGRIN

Lille Peter Lohengrin
gik på Montparnasse,
fandt en gammel violin
i en skraldekasse,
tog den op og spillede
inderligt og længe,
men da han holdt op igen
var der ingen strenge.

Lille Peter Lohengrin
traf den lille Åse,
byttede sin violin
med en spilledåse,
spillede så rørende
at han fik en daler,
spillede så køerne
tabte deres haler!

DUKKE LONE

Med en vissen anemone
i en lille flettet sykurv
sidder stakkels dukke Lone
på en bænk på Kongens Nytorv.

Det er nat og alt er stille.
Lone mærker regnens stænken.
Hendes mor har glemt sin lille
søde dukke her på bænken.

Kold er regnen. Kold er tågen.
Alle gaderne er tomme.
Men med eet er Lone vågen,
for hun hører nogen komme.

Lone kniber sig i armen.
Er det bare regnens trippen?
Men så kan hun mærke varmen
af et kys på næsetippen.

Det er Lones mor som glemte
hvad hun ikke glemme skulle,
at små dukker blir forskræmte
midt i natteregn og kulde.

Over gamle Kongens Nytorv
tripper Lones mor med Lone
i en lille flettet sykurv
med en vissen anemone.

94

LILLE FRØKEN STJÆRT

Bager Koch
har kager nok
og slagter Bech har spæk.
Købmand Malt
har mel og salt
i pose og i sæk.
Men stakkels lille
frøken Stjært
hun ejer kun
en rund grønært,
at spise den
er meget svært,
for den er trillet væk!

UDE I DEN BLANKE Å

Ude i den blanke å
mellem siv og planter
gik en aften fire små
trætte elefanter.

Lige ud for Fredriksdal
hvor der er en sluse,
mødte de en kæmpehval
i en tærnet bluse.

De var trætte af at gå,
havde ondt i halen,
tog en rød pyjamas på
og faldt om på hvalen.

KIRSTEN KLOKKER

Kirsten Klokker
fra Hjortekær
har hvide sokker
og sorte tæer.

Fy for pokker!
for Kirsten Klokker
Men fy! især
for de sorte tæer.

Bedre var det
med sorte sokker
og hvide tæer,
lille Kirsten Klokker!

DEN STÆRKESTE MAND

Den stærkeste mand i verden
kan bære en flodhest i tænderne
og løfte en sporvogn fra skinnerne
imens han klapper i hænderne.
Men sætte en blomst på et lille strå
og farve den vældige himmel blå
og skænke min søster en mælketand –
det evner han ikke, den stærke mand!

HEJ! HEJ! NIKOLAJ

Hej! Hej! Nikolaj!
Hodet den forkerte vej.
Højre fod har vante på.
Sådan kan man ikke gå!

Hej! Hej! Nikolaj!
Lommen fuld af flæskesteg.
Hat på fod og hånd i sko.
Det er ikke til at tro!

Hej! Hej! Nikolaj!
Det er helt forkert med dig.
Klæd dig helre om, min ven,
og bliv Nikolaj igen!

HIMPEGIMPE

En lille spirrevip
uden slips og uden flip
sad og sang på en gesims
for en spraglet himstergims,
men da gimsen ville pimpe
med en simpel himpegimpe,
spirred vippen bort til slut
med en sippet dippedut!

TO SMÅ NEGERDUKKER

To små søde negerdukker
gik i byen efter sukker,
men da de var splitternøgne
gjorde godtfolk store øjne.

På et torv med flotte huse
købte de sig hver en bluse
for at prøve på at dække
det som var så kønt hos begge.

Bluser er så tit så korte.
Og skønt numserne var sorte
stirred folk så uanstændigt
at det føltes næsten skændigt.

To små søde negerdukker
skyndte sig at købe sukker,
og hos frøken Tummelumsen
fik de sko og skørt om numsen.

Tøj er varmt og sko kan klemme,
så da de igen var hjemme
smed de tøjet over stolen
og løb nøgne ud i solen.

GOD MORGEN SOL!

God morgen, sol! God morgen, morgensol!
som skinner ned på bellis og viol
og ned på Jens og Karl, de frække fyre,
der står og tisser på en tissemyre.

Men myren skal man ikke tisse på,
og derfor råber jeg: la vær og stå
og tis på myren, men gå hjem igen
med jeres tissemyretissemænd!

DEN SKALDEDE BARBER

Den skaldede barber hr. Fup,
som bor i byen Skallerup,
gik ud med kniv og kam og saks
og skrev på døren: Kommer straks!

Så tog han op på kongens slot,
der var så grønt at det var blåt,
og anholdt om prinsessens hånd
og hendes krop og sjæl og ånd.

Og kongen sagde kort og godt:
Du er så grim at du er flot.
Du får prinsesse Himmelhvælv,
for hun er skaldet som du selv!

Så blev der bryllup samme år
med steg og suppe, uden hår.
Og kongen døbte straks hr. Fup:
Kong Skallagrim af Skallerup!

UDE PÅ DEN GRØNNE ENG

Ude på den grønne eng
stod en gammel dobbeltseng,
og i dobbeltsengen lå
en soldat med briller på.

Under sengen, der var høj,
stod en ko og spiste løg.
Under koen, der var tam,
stod et lille uldent lam.

Under lammet sad en ræv.
Under ræven lå et brev.
Gemt bag konvoluttens lim
fandt jeg dette børnerim!

104

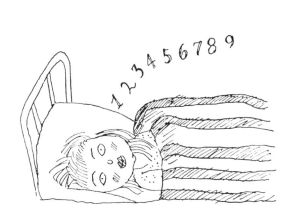

NU SKAL JEG SOVE

Nu skal jeg sove i en fart
og tælle til en milliard,
for mørket står bag hegn og busk
og logrer med sin haledusk.

Jeg lukker mine øjenlåg
og tæller højt på tællesprog,
men inden jeg har talt til een
så sover jeg skam som en sten!

KALENDERVENDER TAGE

Kender du kalendervender Tage?
Det er ham der vender ugens dage.
Han er ikke større end en tå.
Derfor må han gå med stylter på.

Når den mørke midnatsklokke kimer
over dagens grå og brugte timer,
vandrer Tage i den stille nat
med en lygte i sin lille hat.

Han kan smutte gennem alle sprækker,
gennem nøglehuller hvor det trækker,
op og ned i sorte skorstensrør
og igennem låst og lukket dør.

Og når dagen gryr og natten ender,
har han vendt et blad på hver kalender,
så man ser at vi trods fart og jag
har den dag der hører til idag!

JEG HAR MUNDEN FULD
AF TÆNDER

Jeg har munden fuld af tænder.
Jeg har hodet fuldt af hår.
Jeg har fine lange bukser
som kan daske når jeg går.

Jeg har lommer. Jeg har bælte.
Ingen er så flot som jeg.
Alle gadens blanke spejle
står og kigger efter mig.

TOM BLOM

Tom Blom kom til Rom.
Drak sig fuld og faldt om.
Kom til Drammen.
Faldt sammen.
Kom til Wien.
Blev til grin.
Ankom til Wandsbek.
Omkom af vandskræk.

FRØKEN EFTERÅR

Lille frøken Efterår
med det røde silkehår
tripper ensomt gennem natten
med et svanedun i hatten.

Blade daler stille ned.
Gult er havens blomsterbed.
Blomster lukker deres øjne.
Snart står alle træer nøgne.

Gennem havens stilhed går
lille frøken Efterår.
Hendes gule kjole flammer
som en sol bag skovens stammer.

Faldt en tåre på din kind,
du, som samler frøkorn ind
for at gemme dem til sommer
når din glade søster kommer?

TUSIND BLOMMER

Hvis man ejer
tusind blommer,
kan man leve
hele året.
Har man hul
i sine lommer,
kan man klø
sig selv på låret.

Jeg har ikke
tusind blommer,
ikke hul
i mine lommer.
Men jeg har
et godt humør
og kan klø mig
hvis det klør.

110

MIN LILLE TÅ

Min lille tå, hvor er du sød!
Din hud er fin og lyserød
som blomsten på en æblegren.
Hvor er du pæn når du er ren!

Min lille tå, foruden fejl,
med hud og neglebånd og negl,
hvor er du blød at træde på
du lille tommelfingertå!

FREDERIKKE

Frederikke fandt en pakke
med en pæn alpakkajakke
og i jakkelommen lå
der en pakke dameskrå.

Frederikke solgte jakken,
solgte osse skråtobakken,
for en krone og halvtres
og en ko og fire gæs.

Frederikke gav i bytte
ko og gæs og fik en hytte,
og i byttehytten bor
Frederikke med sin mor!

SOMMERFUGLEN

Sommerfuglen er så let
som en piges åndedræt.
Når de fine vinger bæver
ligner den en blomst der svæver.

Før jeg sover trygt og tyst
kan jeg mærke i mit bryst
hjærtets gode stilhed svinge
som en sommerfuglevinge.

EN LILLE SORT GRIS

En lille sort gris
og en lille rød ko
og en lille grå mus
uden strømper og sko
fulgtes hjem fra Paris
ad en lille grøn sti
og faldt alle om og sov
i den store sorte skov.

En vældig gul sol
vækked lille rød ko,
vækked gris og grå mus
uden strømper og sko,
gav dem korn, gav dem brød,
gav dem saftigt grønt græs,
gav dem kys på mund og kind,
gav dem hver en slikkepind!

VEJRET ER
SÅ GAMMELT

Vejret er så gammelt
og himlen er så snavset.
Går man vild i tågeland,
så blir man helt forbavset.
Husene er blevet væk
og Dorte hun er borte.
Og jeg kan bare finde mig
fordi jeg selv er Dorte!

DUNKELMANN

De folk der går i Tivoli
om natten klokken to,
kan se en lille trivelig
person i blanke sko.
Det er den gamle Dunkelmann
fra rutchebanens kælder,
der går og fodrer dyrene
på havens karruseller.

Hans sjæl er fin som morgendugg.
Hans hænder er som løv.
Hans hjærte er som blomsterfnug
og sommerfuglestøv.
Og ser du ham så svøb dig ind
i tusind blomsters duften,
for hvis du bare hoster lidt
forsvinder han i luften!

JEG KAN LØFTE ET HUS

Jeg kan løfte et hus.
Jeg kan standse et tog.
Jeg kan fløjte på tyve
forskellige sprog.

Jeg kan synge en sang
så den vælter min mor.
Du kan tro jeg blir skrap
når engang jeg blir stor!

NU TIER ALLE SKOVE

Nu tier alle skove
om blad og blomst og bær.
Og nu skal Iben sove
og glemme hvem hun er.

Der går en blæst derude
i havens visne løv.
Og himlen er en rude
der fyger til med støv.

I mørket kan jeg høre
et lille urværk gå.
Det suser i mit øre.
Det knækker i min tå.

Nu sover nattefluen
i vores vindueskarm.
Nu sover hele stuen.
Nu sover Ibens arm!

FEM SMÅ DUER

Fem små duer på et tag
sang om stævnemøde.
Nummer eet fik hedeslag
og faldt om og døde.

Fire duer sang i kor
om at gå og kysse.
Een blev skudt af en major
med en ærtebøsse.

Tre små duer sang om kval,
ensomhed og smærte.
Een faldt ned fra femte sal
med så tungt et hjærte.

To er nok en sommerdag
og i lyse nætter.
To små duer på et tag
synger nu duetter!

119

SOVESANG

Sov, lille barn i sengen,
og drøm dig køn og god.
Sov, klokkeblomst i engen,
og hvil din trætte rod.
Sov, spurvemor i hækken
og fisk i møllebækken.
Sov, lille mus i sækken
med korn i overflod.

Sov, bondemand hvis snorken
kan høres trindt om land.
Sov, frø og glem at storken
har spist din kære mand.
Sov, sære folk og sjove.
Sov, græs og grønne skove.
Sov, alle som kan sove.
Sov, alt som sove kan!

GODMORGEN

Godmorgen, min tøs! synger buske og trær.
Godmorgen, min dreng! nynner bækken.
Og vejret er nok en godmorgensang værd.
Se, spurvene vasker de småbitte tæer
i pytterne omme bag hækken!

Godmorgen! sier hønen til fire små æg.
Godmorgen! sier hjærte og lunge.
Godmorgen! sier blæsten til skipperens skæg
og solen der kysser den kalkede væg.
Godmorgen! sier mor til sin unge.

Godmorgen! Godmorgen! sier himmel og jord
til synder og helgen og sjover.
Godmorgen igen! jubler alt hvad der gror.
Men gemt i sit træ sidder uglen og glor
og vrisser godnat! før den sover.

121

KEJSEREN AF BRØNDBYVESTER

Kejseren af Brøndbyvester
fik en masse sommergæster
dagen efter nytårsnat,
hvad han syn's var noget pjat.

Otte brødre og en søster
kom med båd fra Brøndbyøster.
Af kusiner kom der seks,
deriblandt en rigtig heks.

Heksen smed han straks på porten,
og så var der bare fjorten.
Tretten gav han rottekrudt,
og den fjortende blev skudt.

Kejseren af Brøndbyvester
har nu aldrig mere gæster,
for en heks med sorte tæer
er nu blevet portner dér!

POTIFAR OG POTIMOR

Potifar og Potimor
fik tre små potibørn i fjor.
Den ene hedder Potistor,
den anden Potilille.
Den tredje hedder Potimindst.
Han kom som lotterigevinst,
mens de holdt barselsgilde.
Og det var ikke ilde!

LONE FANDT EN MILLION

Lone fandt en million
i en gammel pose,
købte sig en gul citron
og en højrød rose,
satte rosen i sin hat,
gav sin mor citronen,
havde det så dejligt at
hun glemte millionen.

JEG BOR I VILLA »LANDRO«

Jeg bor i villa »Landro«.
Der bor jeg godt og frit.
Min far kan spille banjo
og fodbold og fallit.

Min bedstefar kan brumme
i hornet fra en ged.
Min fætter slår på tromme
så loftet ramler ned.

Min søster spiller harpe,
og harper skal man slå.
Men strengene er skarpe,
så hun har vanter på.

Men jeg er alt for lille
og keder mig fordi
jeg kun får lov at spille
med billedlotteri!

DEN STØRSTE KÆMPES STOREBROR

Den største kæmpes storebror
er større end de store tror.

Der flyver krager dagen lang
ud af hans ene øregang!

Hans næse er et Dovrefjeld
med sne og vintersportshotel!

I overskæggets mørke pragt
går hundred mænd på løvejagt!

Når han skal klippes, den bersærk,
benytter han et tærskeværk!

På hodet bær han, tænk jer blot,
Sankt Peterskirken som kalot!

Af fiskerbåde har han to.
Dem bruger han som morgensko!

I øjets bjergsø skimter man
Pupilien, det sære land

hvor digtere og skælme bor.
Jeg flyttede derfra i fjor!

Du spør, hvorfor? Mit svar er her:
Fordi man løj så rædsomt dér!

TO SMÅ SØDE PIGER

To små søde piger
fra et ukendt land
købte hver en tiger
af en fremmed mand,
gav dem hat og kjole,
sendte dem i skole,
kørte selv i skov'n
med en dukkevogn!

DUM LILLE HUND

Sød lille kone
og dum lille hund
traf en matrone
på femhundred pund.
Konen blev glad.
Matronen blev lad.
Dum hund blev flad,
for den lå hvor hun sad!

I AFRIKA

I Afrika hvor løven går
og brøler midt om natten,
sad der en dreng på fire år
og rakte tunge af den.

Da løven brølede igen
til ingen verdens nytte,
gik drengen ganske roligt hen
og bad den holde bøtte.

Men da den åd en paraply,
som var hans gamle tantes,
løb drengen hjem til Kringleby,
hvor ingen løver fandtes!

HVEM SYNGER? HVEM DANSER? HVEM SPILLER?

Hvem synger bag den høje hæk?
Det gør såmænd Pernille!
Hun synger sne og kulde væk.
Hun synger for en vintergæk
og for en dusk persille.

Hvem danser som en snurretop?
Det gør den tykke kone!
Hun danser anemoner op.
Hun danser runddans og galop
så tæerne blir gloende.

Hvem spiller i det fine vejr?
Det gør den lille Ejner!
Han spiller løv på alle trær.
Han spiller sol og sommer nær
og næsen fuld af fregner!

DER ER ET LILLE UR

Der er et lille ur,
der går så tyst,
et lille urværk
inde i mit bryst.

Jeg lytter til
det lille urs musik,
som aldrig standser
blot et øjeblik.

Å, lille hjærte,
røde snurretop.
Hvem trækker mon
det lille urværk op?

HVAD VIL DU VÆRE?

Hvad vil du være når du blir stor?
Kattekonge, kejser eller klodsmajor?
Kagekone, rejekælling, nissemand,
løvetæmmer, kræmmer, muffedisemand,
nattevægter, skattenægter, brillemand,
rotteplager, pottemager, spillemand,
herremand i Herning eller frue i Paris?
....
Jeg vil være lykkelig
og glad som en gris!!

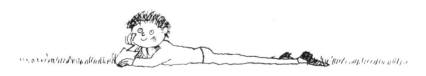

SNEEN DALER

Sneen daler tyst og tæt
overalt derude,
pusler sommerfuglelet
bag den mørke rude.

Hvid er somrens grønne eng.
Alle buske sover.
Dukken ligger i sin seng
med en dyne over.

Stille hjærte. Stille nat.
Stille alt som blunder.
Ene går den sorte kat
i det hvide under.

133

PUMPEGRIS

Pumpegris! Pumpegris!
med det fede spæk.
Må jeg pumpe saftevand
i pose og i sæk?
Ja, Matthis! Ja, Matthis!
Pump du bare væk!

Pumpegris! Pumpegris!
med den tykke vom.
Må jeg pumpe brændevin
til sjælen trimler om?
Nej, Matthis! Nej, Matthis!
Jeg er pumpet tom!

LILLEGUT FRA LILLERØD

Lillegut fra Lillerød
gik aftentur i Hillerød
og slog en ganske lille prut,
skønt det er meget strengt forbudt!

Femogtyve spillemænd
faldt om og råbte: Hillemænd!
Og kongens flotte kongehus
og fem paladser sank i grus!

Kongen skrev til Lillegut:
Nu må og skal det være slut!
For hvis du slår en stor en dag,
så revner jorden med et brag!

Lillegut blev meget flov
og skyndte sig i seng og sov.
Men hvis de voksne gir ham skænd,
så prutter han såmænd igen!

JEG SIDDER I MIN GYNGE

Jeg sidder i min gynge
og vipper med min storetå
og hører blæsten synge
den høje himmel blå.

Den følger børn fra skole.
Den vifter med mit birketræ
og løfter i min kjole,
så den kan se mit knæ.

Jeg ber den at la være
og hvisker at den ikke må.
Men kvindedyd og ære
det blæser blæsten på.

For den vil ikke standse,
men kysser mig på mund og hals
og siger vi skal danse
en vild skærsommervals.

Så hvirvler vi som blade
med sol og sang og skørtesus.
Vi danser hø i lade.
Vi danser korn i hus.

FRU FINKELINE OG HR. FINKELOT

Fru Finkeline og hr. Finkelot
købte en bil der var høj som et slot,
kørte til fjælds hvor de plukkede finker,
franske kartofler og røgede skinker,
spiste det meste og solgte det hele,
delte det halve i ottendedele,
satte det ind på en bankbog i Drammen
og tog det ud for at spare det sammen,
tabte hinanden i kortspil og foer
lige til Paradis uden et ord.
Nu er de døde, men lever skam godt,
fru Finkeline og hr. Finkelot!

MIN VINTERGÆK

Min vintergæk
er blevet væk.
Min krokus er forsvunden.
Men jeg kan se
en bellis le
med læberødt på munden.

Og jeg kan gå
og plukke blå
violer under gavlen
og vandre hjem
og bruge dem
som knaphulspynt i navlen.

KLOKKEN ER MANGE

Klokken er mange
og nu skal jeg sove.
Alle småfugle
er gået til ro.
Blæsten går tur
over marker og skove.
Ensomt i stilheden
græsser en ko.

Lampen er søvnig,
så nu må jeg slukke.
Døren er låset
og ruden på klem.
Stjærnerne lyser
for mig og min dukke,
lyser den ensomme
vandrende hjem.

Skyggerne danser
i græsset derude,
danser for månen
som nylig blev tændt.
Dejligt at hvile
så trygt på sin pude.
Dejligt at sove
når dagen er endt.

STORMVEJR

Stormen kom susende,
vred som en trold.
Ovnen gik ud
og min næse blev kold.

Vejrhanen drejede,
svimmel og ør,
og foer til himmels
som om den var skør.

Møllen løb løbsk
i et hvirvlende sus,
malede møllerens
kælling til snus.

Solen faldt ned
i min skorsten, den klovn.
Nu kan du tro
der er ild i min ovn!

DUKKEN SOM LØB BORT

Min lille dukke som løb bort
er atter vendt tilbage.
Hun havde haft det slemt og hårdt
i mange lange dage.

Hun var så sulten da hun kom,
og går nu rundt og humper
fordi hun havde flakket om
og kun spist sure brombær.

Om natten sov den stakkels tøs
hos spurvene i hækken,
men hun blev kold og lå og nøs
på grund af gennemtrækken.

Nu sover dukken trygt hos mig
og jeg hos dukke Dorte.
Og aldrig går hun mer sin vej
og blir aldeles borte.

LILLE GRÅ MAND

Lille grå mand
gik en tur i det blå.
Lille grå mand
blev så træt af at gå,
blev budt ind i en stue
af en lille sort frue
og fik brændevin og snus
og en masse kys og knus.

Lille grå mand
blev en glad lille mand.
Lille glad mand
har nu guldring, og han
kalder lille sort frue
for en lille hvid due
og har fjorten runde små
røde børn med træsko på!

HURLUMHEJ!

Bombemarie
  Granatsofie
    Raketkristoffer
      og Knaldekaj
gik sig en tur i den mørke skov
og satte sig hvor det ku falde sig.

Granatsofie var fuld af krudt
og skød med Knaldekaj uafbrudt.

Raketkristoffer, som var et fæ,
rørte ved Bombemaries knæ.

Bombemarie, som blev nervøs,
tændte en tændstik, den dumme tøs.

Og op under måne og mælkevej
med *bum!* og *bang!* og med
      hurlumhej!
foer

Bombemarie
  Granatsofie
    Raketkristoffer
      og Knaldekaj!

HVORFOR ER DU BEDRØVET, LIS?

Hvorfor er du bedrøvet, Lis?
Jo, her er en af grundene:
Min mus løb væk med smedens kat,
og så gik den i hundene.

Det går vel godt med katten, Lis?
Aknej, den røg i totterne
på Mikkel Ræv, den dumme torsk,
så den er helt til rotterne.

Men hunden da, min kære Lis,
går det vel nogenlunde med?
Aknej, den sprang i Kattegat
og gik i fisk ved Hundested!

MIN LILLE HEST

En vej går ind i himlen hvor jeg bor
imellem hvide skyer og grønne marker.
Ved vejen står en lille hest og sparker
og spiser græs og vokser og blir stor.

Når dagen gryer og vækker blomst og bi
og lyset planter trær og rosenranker,
da står min lille hest med våde flanker
og vrinsker en godmorgenmelodi.

Når middagsstunden slår sin vifte ud
og solen brænder havren tung og gylden,
da går min lille hest i læ bag hylden
og kysser den og mener den er gud.

Ved aften blir den hentet af en dreng,
som klapper den på mulen mens han snakker.
Så går de sammen mellem lave bakker,
hvor åen nynner som en gylden streng.

Men kommer natten ridende fra vest
med dugg på koderne og sølvblå tømme,
da går min lille hest herud i drømme.
Og derfor elsker jeg den lille hest.

TYKKE TRILLE

Tykke Trille
faldt som lille
ned fra femte sal,
ramte Fanden
midt i panden.
Kors hvor blev han gal!
Med en banden
flækked Fanden
som en kokosnød.
Fryd dig, verden,
for nu er den
lede Fanden død!

JEG HAR EN VEN

Jeg har en ven
der er så stærk,
at han kan løfte
Fredriksværk!

Han er så stor,
at hatten når
derop hvor himlens
skyer går.

Når månen går
sin aftentur,
så brur han den
som armbåndsur.

Og himlens stjærner
i det blå,
dem går han rundt
og sutter på!

JEG
GIK
TUR
I NAT

Jeg gik tur i nat
i det himmelblå
med skærsommerhat
og pyjamas på,
og i rummet traf
jeg et polkafår
og en skygiraf
med gelænderhår.

Og på vejen ned
fra min himmelfærd
traf jeg tordenged
og kantatestær,
karruselmakrel,
mandolinsardin,
og en lille fin
finkelinpingvin.

Da jeg trådte ind
i mit hus af guld,
drak jeg måneskin
og blev hønefuld,
gav min mor en skov
og min far en eng
og faldt om og sov
i min himmelseng!

HITTEHATTEHÆTTEHUER

Min nathue huer mig ikke.
Kalotten ka Lotte jo få.
Kasketten ka skytten
benytte om natten
hvis ikke kadetten
med kutten vil ha den,
og hitter jeg hatten
og hætten i hytten
kan ham hottentotten
og skotten fra Vrå
få hittehathatten
og hyttehætten på!

METUSALEM FRA JERUSALEM

Metusalem fra Jerusalem
gik hen for at købe en kage,
men traf en løve da han gik hjem,
som spurgte om den måtte smage.
Og det må man meget beklage.
For ham Metusalem var så fræk.
Han gav den venlige løve smæk
og spiste sin kage alene.
Og det var da frækt, sku jeg mene!

150

MIN MAVE

Min mave er så tyk og fed
som hele Espergærde.
Jeg tænker, mens jeg ligger ned,
hvad grunden dog kan være.
Jeg har jo bare spist lidt grød,
en pølse, fire wienerbrød,
fem skiver flæsk, en bøf med løg,
og et glas hindbærsyltetøj!

EN VEJ AF SOL

En vej af sol på vandet.
Og på den gyldne solvej går
en lille sommerpige
med lærker i sit hår.

Hun er så let som luften
der ånder silkeblød og lun.
Og hun har dugblå kjole
og sko af svanedun.

Hun drysser blå syrener
og roser på det stille vand
og tænder aftenstjærnen
før hun går ind mod land.

Og folk som går ved stranden
blir stille indeni, og små,
og meget, meget større
end nogen kan forstå.

STAKKELS LISE

Lises far er blå af vrede.
Lises mor er trist og grå.
Lises bror blir ved at græde.
Lises søster ligeså.
Lises kat er sat i pleje.
Lise selv står aldrig brud.
For i byen Liseleje
har man lejet Lise ud!

JEG HAR EN LILLE SLØJFE

Jeg har en lille sløjfe
at binde i mit hår,
og den er blå som himlen
hvor aftenstjærnen står.

Jeg gemmer den i skuffen
ved siden af min hat.
Den fine silkesløjfe
skal sove der i nat.

Og når jeg snart blir voksen
og gammelklog og grå,
skal lille dukke Mette
ha silkesløjfen på.

KRISTIAN KOSAK

Kristian Kosak
solgte tobak,
solgte kaniner,
kanoner og snus,
solgte sin far
og sin mor og sit hus,
solgte sin kone, desværre,
og fik sig en ny der var værre!

SKORSTENSFEJERMESTER BLOM

Skorstensfejermester Blom
blev så ræd når mørket kom,
for han var så sort som beg
og ku ikke finde sig.

Derfor fulgtes han så tit
med hr. bagermester Hvidt,
som han kunne spørge om
Blom var kommet når han kom.

Men når sneen drysser blidt
kan han ikke se hr. Hvidt.

For at undgå det halløj
går de i hinandens tøj!

RYGEBORDET STOD OG RØG

Rygebordet stod og røg.
Hostesaften hostede.
Sygesengen blev så sløj
og faldt om og pustede.
Huggeblokken huggede.
Dikkedaren dikkede.
Sukkerskålen sukkede.
Mekanikken nikkede.
Klodsmajoren tog på klods.
Slåmaskinen ville slås.
Og det gamle skrivebord
skrev et vers til Lillebror.

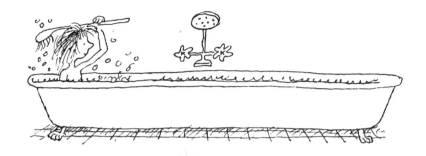

RIKKE

Min mor er glad,
min far er rar,
min søster hedder Rikke.
Hun tar et bad
i januar,
men bader ellers ikke.

Når hun er ren
og smuk og pæn,
så går hun ud og leger.
Og klokken fem
går Rikke hjem
som negerskorstensfejer!

MEJSERNE

Den søde mejse i sin kasse
har fem små unger den skal passe,
så den har mere travlt end mor,
der kun har far og Theodor.

Vi spiser flæskesteg med svesker
og drikker sodavand der hvisker.
De stakkels mejseunger får
kun myggesteg og fluelår.

Når jeg har spist en farlig masse,
så går jeg ud til deres kasse
og putter et par svesker i,
for svesker kan de sikkert li'.

Og hvis min far og mor vil splejse,
så vil jeg gi den store mejse
en frikadelle til de små,
så de har lidt at gumle på.

For det er svært med mange unger,
der skriger op af sult og hunger.
Men fodrer jeg dem dagen lang,
så blir de nok til høns engang!

ABRAKADABRA

Abrakadabra
og Vasco da Gama
solgte en zebra
og købte en lama,
glemte den prima
lama i Lima
og købte en puma
i Alabama!

MAJA BUDEIA

Maja Budeia
har kærester nok.
En stodder, en prins
og en dum mand med stok.
Hun elsker sin stodder
og kysser sin prins
og lar ham der er dum
slå på tromme imens!

NATTEN ER EN GAMMEL MAND

Natten er en gammel mand.
Med en stjærnekappe
over skuldren vandrer han
ned ad månens trappe.

Standser på det sidste trin.
Roder i sin taske.
Nipper en tår månevin
af en sølvblank flaske.

Skænker blomsterne en tår
af de dugblå strømme.
Klapper jordens kind og går
ind i dine drømme.

TITELREGISTER

163